劉福春・李怡 主編

民國文學珍稀文獻集成

第三輯

新詩舊集影印叢編　第95冊

【于賡虞卷】

晨曦之前

上海：北新書局1926年10月初版，1928年3月再版

于賡虞　著

骷髏上的薔薇

北京：古城書社1927年初版

于賡虞 著

花木蘭文化事業有限公司

國家圖書館出版品預行編目資料

晨曦之前／骷髏上的薔薇　于賡虞　著 -- 初版 -- 新北市：花木蘭文化事業有限公司，2021〔民 110〕

124 面／ 88 面；19 ×26 公分

（民國文學珍稀文獻集成 · 第三輯 · 新詩舊集影印叢編　第 95 冊）

ISBN 978-986-518-473-5（套書精裝）

831.8　　10010193

ISBN-978-986-518-473-5

9789865184735

民國文學珍稀文獻集成 · 第三輯 · 新詩舊集影印叢編（86- 冊）

第 95 冊

晨曦之前
骷髏上的薔薇

著　　者　于賡虞
主　　編　劉福春、李怡
企　　劃　四川大學中國詩歌研究院
　　　　　四川大學大文學學派
總 編 輯　杜潔祥
副總編輯　楊嘉樂
編　　輯　許郁翎、張雅淋、潘玟靜　美術編輯　陳逸婷
出　　版　花木蘭文化事業有限公司
社　　長　高小娟
聯絡地址　235 新北市中和區中安街七二號十三樓
　　　　　電話：02-2923-1455 ／傳眞：02-2923-1452
網　　址　http://www.huamulan.tw 信箱 service@huamulans.com
印　　刷　普羅文化出版廣告事業
初　　版　2021 年 8 月
定　　價　第三輯 86-120 冊（精裝）新台幣 88,000 元

晨曦之前

于賡虞 著

于賡虞（1902～1963），河南西平人。

北新書局（上海）一九二六年十月初版，
一九二八年三月再版。原書三十二開。

于賡虞著

晨曦之前

于賡虞

卷首

我生活於人間猶如死屍沉寂的，
無語的躺臥於荒草無徑的墓地；
我漫泣於人間猶如夜鶯微弱的，
寂冷的低吟於幽邃寒森的古林。

晨曦之前目錄：

目錄

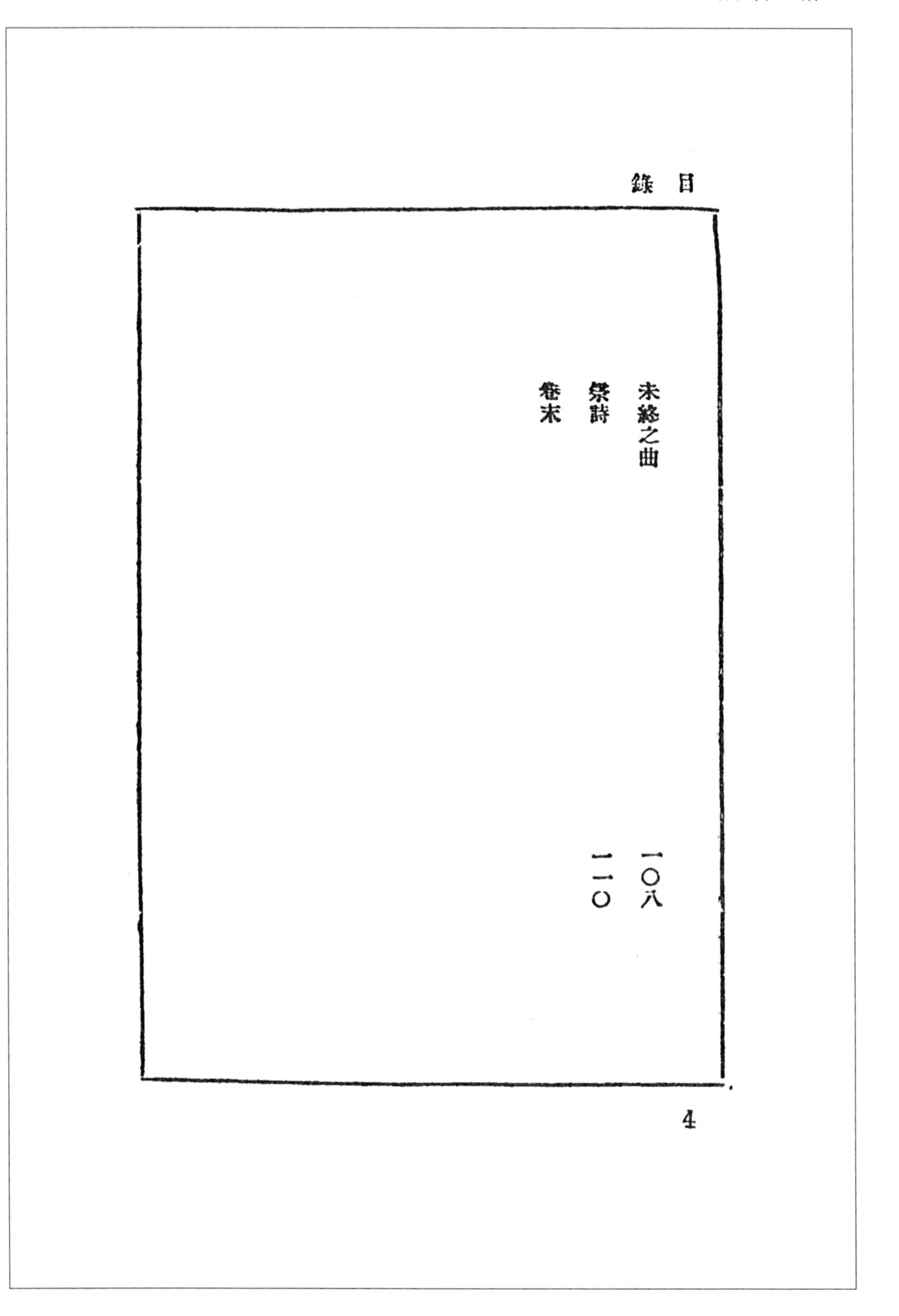

目錄

淪落

淪落天涯的浪人，霜葉與酒罍在手，
淒迷的，踉蹌的徘徊於漫野湍汀的路頭；
孤然的低吟着寒寂之心的苦愁，
尚未感覺到這已是黑夜漫漫的深秋。

暮鐘響徹了寒山，微酌了幾杯淡酒。

淪落

楓葉與暮鴉的歌喉使我心醉悠悠；
豔麗的玫瑰與青春都不在此已死的地球，
人們也已淪沒於夢幻，唯有我倘在漫遊。

那可愛的人兒已不在此蕭殺的園囿，
這深秋，這落葉顯示出萬象的末流。
風吹園籬猶如野鬼在荒墓悲啾，
冰，冰冷之心欲深棲無邊的湖心解憂！

我懣惱，從何處來你毿髮怪面的鬼囚，
在我面前戰戰的如欲訴陰間難留；
從你頹敗的神色間我瞭解了你的宇宙，
慢慢的收束起一切煩惱依然放在心頭。

四野，四野喑喑的被死寂的氣息封就，
我悽然的反覆的在荒野細數辱垢；
低首，低首看泥濘中踐印的足痕被水冲流，
漫嘯的夜半松風宛如無家的冤魂馳驟。

這，這荒荒的漫野已是人間的深秋，
如今我的寒戰之心已浸沉澀苦的醇酒；
我將像着深秋一步一步的趨赴冬天時候，
到彼時總有，總有更濃烈的苦酒享我消愁……

一九二三，十一，十夜。

遙望天海

遼闊的蒼穹維繫着疏疏點點的流星，
四野裏迷濛濛穆靜靜的無有微聲。
在此萬籟寂寂之中我的血液彷彿，
彷彿停止了交流，氣息停止了飛騰；
但是這瀰漫於天宇的灰色恐怖之意緒，
却狂潮也似的繚繞於我幾萎的孤靈。

遙望天海

我的心彷彿一輪轆轆在轉的明月，
在暗渾渾冰冷之夜間照遍了羣星，
照透了清泉與殘草下墓中的枯骨。
枯骨，告訴我，你默然的躺臥於黃土，
蒼宇內可有你微微渺渺的光芒在舞？
無限的死寂中深葬着你生前之哀苦！
我的雙眼如今業已這般澀酸糢糊，
但在萬有淪沒的黑幕中却能識別彼從

雲潭深處飛騰過來的死的陰森之流漿，
深深的滲入了我的曠廓音屏之心郊！
此時間月兒穩坐天梢，夜慈開始漫叫，
宇宙悲哀之巨靈也在荒林向我哀號！

唉唉，你冥涵萬象的不可識別之哀號呀，
激動了我迷離於死海也似的煩苦之心，
不覺得撲撲欲飛——飛，飛，翽起我
沉重的兩翼飛越巍巍的高山與重洋，

遙望天海

然後飛到西平九女山麓久別的故鄉——
在彼幽靜古深的園間我該有暢意的徜徉。

故鄉，故鄉，幾何時凋零到如此模樣？
滿目蒼涼的荒墟緊緊的封鎖著銀宇，
冰冷的地球上哪有我要安棲的巢居？
這深葬的無辜的陳死人不知魂已何去，
暮色荒漫的歸途中只有我在逡巡，如今
才明白塵世間並沒人接受我的微笑與苦吟。

8

如今仰面虔誠的膜拜你默然無語的月明，
如肯收留呀，我甘願訴盡了屈辱的隱衷。
月明，你賜甘露於薔薇，光芒於驀地，
能否照一照我這孤宿冷慄寒極的心扉，
果然喲，我卽立刻劍起風霜中奔波的雙脛，
我還有，還有什麼隱痛遺留在宇宙之中。

但我的生命之週邊橫溢着無端的幻夢，
任何處所能所敢想到的都是幻谷重重。

遙望天海

如令我已孤零的迷魂醉倒，長漫的夜中
只餘殘緒一縷——渴念着將到的明朝。
掙扎起掙扎起推開寒窗探一探月光多少，
我的——心，請照一照遠遠近近的荒郊。

遠遠方衍漾的重霧猶如蒼狗之奔逃，
雲幕下寒林的搖曳猶如羣鬼之舞蹈；
近身邊低吟的冷風像是囚犯謀逃的私語，
傷鳥的殘鳴與村犬的漫吠像病者的淒迷。

10

蒼宇內一切的生物都已沉淪於深夢之中，
唯有零落殘病的我呀，還正在眼淚潛盈！

喂，看彼遼遼東方銀灰的雲霧中火焰突起，
漫紅紅的燃燒了天之一角，驅散了星輝。
彼天之一角裏深蘊着人間無限的新奇，
迷朦間心中忽然，忽然點燃起熱烈的狂喜，
朋友，如今我決意棄別此輾轉垢辱的大地，
飛蹤荒山與漠海直赴紅光繚繞的天際。

熏黴的扶起頹敗的病身，滿懷涼爽像是

尋到終老於荒海孤島的晶峯，泉池與花雕。

但待要掙扎起向彼，向彼光明的天角轉動時，

刺骨的冷風驀然將我躍動的心欲摧毀；

這生命的殘燼中希冀的雙翼已減了光輝，

獏然的摸着肉體自恨自憫的看青天無垠。

生命的雙翼這般潮濕，腹中又如此空虛，

如今只孤然的徘徊於荒無人徑的墓地。
落葉之低吟敲開了我幽寒戰慄之心扉，
萬有的淒涼與失望都安然棲息其中，
我悲語月明，哀和天風，眼淚盈盈的
從此幽暗處遙望彼亮晶晶如玉的天空……

——一九二四，一，九，病中於天津——

迢迢的東海

迢迢的東海燃燒起漫紅野火，
人們悲惡的幻夢多已殘凋脫落；
唯有，唯有永居巍巍山陰的零餘之我
心府中彷彿滿貯着凄愁的凍冰碎瑣，
受不到炎炎熱氣使彼溶溶化却。

人間雖然展示着這般遼闊銀宇，
却無處，却無處任我放懷痛飲與高歌；
我寂寥的潛棲於悲哀神境之下，
寒戰，驚慄，宛如秋霜下殘萎的花朵，
靜待生命的花瓣隨着寒風飄落。

我憤憤的逡巡於寂寥的山麓之下，
起始點燃起心懷中熱切的希望之火——
雖然只輾轉於此荒漠崎嶇的幽谷呀，

來來，朋友，讓我們在此悠古的荒坟間
　尋求些燐光綴飾在我們幽寒的身上。

　看那碧空的流雲不絕的來往馳驟，
宛如，宛如我心中憤鬱之閃電交流；
　看那孤傲的明月沉穩的無語天梢，
宛如，宛如蔑視我不能了却心事重重——
　心事重重呀，豈能都是曇花幻景！

我曾經過險峭的峻嶺，茫漠的荒道，
所有的恐怖與悲苦都潛伏在我的週遭，
這生命的途中沒有比此更深奧的煩惱了！
如今路無行人的漫寒的荒秋正在眉梢，
道旁的黃花自開自謝於此夜的荒郊。
淚泉涸竭了源流，恐怖逃出了心巢，
邁步踏進深漫無徑的荒草，冷慄中，
迷濛中裁制着心機的寒戰與冷嘯。

身邊雖然瀰佈着空漠的冷霧，但那
雲深處却隱現着五色的彩光正飄飄……

十三年三月作

風雨之夜

風雨，雷鳴，驚覺我於深夜之夢中，
呵呵，你在襲擊一切，毀滅一切的精靈，
四野裏淹沒了平日所見積垢汚景，
我心跳，我血騰，激動了我的心事重重！
風雨，雷鳴，驚覺我於深夜之夢中，

風雨之夜

毀滅了我的愴心及一切虛飾荒塚的墓文，
你豪放，你永生，眞乃千古未有的英雄，
我心快，我歌咏，大宇宙正孕育着無限新生！

我的愛者，你不羈的震撼萬物的風雨雷鳴，
險峭的深谷，漫然的草原，白骨爲之心驚，
深牢裏馴囚的羣羊亦忘記了服從，
請，請驚覺了蒼生恢復起宇宙之光明！

20

我的愛者，你不經震撼萬物的風雨雷鳴，
經過萬千危難才能與你相會於此地之夜中，
久已淪落海穴的宏願如今躍躍欲動，
請，請伴我在此險峭之夜永永向前孤征！

一九二四，七，三，中夜。

昨夜入夢

昨夜入夢依稀是在荒草沒膝的湖濱，
我正向西南臨風歌吟着愴心的苦情，
驀然遇着久別徐徐前來的母親，
我哀悼無聲，低下頭看荒草飄動！
「我的兒呀，幾年來你無蹤無影，怎麼，

怎麽獨自一人踟躕於此荒湖之濱？
看你衣襟上的斑斑淚痕纖纖瘦影，
來來，坐我懷中爲你醫治傷痕重重！

「我的兒呀，幾年來你無蹤無影，怎麽，
怎麽不到秋葉飄零時節返回家中？
家業已呈凋零，汝叔已被兵匪戕生，
抬起頭，看你老娘爲了你戰慄如瘋！

昨夜入夢

「我的兒呀，幾年來你無蹤無影，怎麼
怎麼不寄我異鄉平安的書信一封？
我夜夜入夢，山崖海邊，只是空空，
醒來後只有哀哀苦情漫和夜半風聲！

「我的兒呀，幾年來你無蹤無影，怎麼，
怎麼對於你的父母弟妹這樣忘情？
看，看月光的湖間無根的冷落遊萍，
走走，隨我回到山荒勞蕪的村中！

24

「我的兒呀，幾年來你無蹤無影，怎麼，
怎麼不曉得我的心在人面前粉粉粹淨？
我惦念的苦情如今已有託寄的寶宮，
回去罷，百年後還要你弔掃我們的墓塋！」

昨夜入夢依稀是在荒草沒膝的湖濱，
我正向西南臨風歌吟着愴心的苦情，
驀然遇着久別徐徐前來的母親，
我哀悼無聲，低下頭看荒草飄動。

一九二四，七，十八，天津。

海天遼闊

海天遼闊——浪聲與山松應和，
獨自在此寂渺的荒岸默然安臥：
依石沉思，淚涔涔，
一隻，兩隻秋雁飛過⋯⋯

關塞天涯

海陸寂寂，寒夜漠漠，晚鐘後徐起放歌，
星雲稀，懸岸上徘徊的孤影寥落；
此處呀，我曾爲你長禱，
願解深心難言的坎坷……

我曾爲你編飾過美麗花冠的女人，
誰知你幽秘的深閨並不止人兒一個；
你襟邊還棄了我的紅花，
爲何又蓬首垢面的拜跪我？……

28

在此依戀的故地爲了你我瘋狂，悲歌，
你的微笑與假逼如今已是煽人的毒藥；
我們共誓的明星今已無蹤，
不知是深隱雲潭抑係流落……

冷月下我孤坐山坡靜聽淒泣的荒波，
心碎時那堪再聽古寺淸淒的木鐸；
灰化的萬情已隨流雲逝去，
山風透寒心，苦慄，空漠……

海天遊闕

今夜晚不堪想旅路間毒情的災禍，
只悄然的打開酒罍一杯一杯獨酌；
在此空虛情愛的宇宙，
我已無法無處求赤心一棵……

微弱歌喉的殘韻旋化於荒海烟波，
望來路這震慄的孤魂如海鷗飄泊；
此處呀，曾幾度見秋花殘凋，
那狂流却依然如故的起落，……

30

海天遼闊——浪聲與山松應和，
獨自在此寂渺的荒岸微醉安臥；
依石沉思，淚涔涔，
一隻，兩隻秋雁飛過……

十三年冬

不知名

不知名的荒山無人煙，無燈火，
　周郊裏寒風淒淒，落葉飄飄：
無聲息，無眼淚，孤零的立此山巔荒道，
　看呀，流水寂寂，殞星的殘照盡消……

立此戰慄的足根上悄悄的凝望，迴想，
從寒顫的心音中嚼味着飄泊的昨朝；
這口唇不曾飲過生之美酒——萬情死渺，
終不過跌落於時之蒼海——泯淪，腐消…………

十三年冬於九女山故里。

九女山之麓

——沒有詩在此死夜裏，
只，只有恐怖與戰慄。——

枯黃了的山野林木四漫，星光兒微微，月光兒淡淡，
蕭蕭的冷風中角鳴哀綏，此時已無蠕的生物在轉；
入眠，臥病，永死的灰氣密罩此黑暗之夜無邊……

從惡夢間醒來徘徊於不成形的庭院，孤魂在此夜晚
已隨角聲飛越村外的高山繚繞於曾經流落的野站，
那里呀，亦星火遍野冷慄的孤魂徬徨於灰烟漫漫。

驀然若有野鬼在泣，少婦在哭於沉默的殘秋之夜間，
我的心衰戰，驚惕，如有恐怖的死之羅網滿布於身邊，
這，這眞實已無法解脫，只伴此寒星下的孤影在迴轉。

我的親人，你們在荒坟間知否後代已無寧馨的樂園？

九女山之麓

這曾煙火繞天的殘墟在落葉飄飄的殘秋白霜四漫，
荒坵滿眼，無村落城堡只有一星燈火閃耀在遠遠。
淒迷間緣着村外的荒溪徑去山林，河邊，儘低泣，淒戀，
孤雁在泣，餓虎在啼，在此淪沒荒谷的險惡之夜晚，
我這無路歸去的迷羊，生命，世界已不在戰慄之心間……

十三年十二月於西平故里

36

野鬼

幽寂的河濱孤現我荒草掩沒的墓坟，
沒有野花粉飾其頂亦無碑文。
潺潺流水低吟，夜鶯泣鳴於蒼雲，
萬千古人亦曾安眠此處，但已無痕。
　這，這幽淒，顫漾的寒光
宛如預弔我坟的命運。

野鬼

生前的情境今已糢糊，但仍記得
在風雪中了然低招早逝的靈魂；
今夜獨吟荒岸猶如先日之冷落寂寥，
你流水，你山風，知否我心顫，淒冷？
　我，我已無法敍寫往事種種，
　只輕嘯着腦岸上磨不去的夢影。
深夜淅瀝的雨聲激醒我死的幽夢，
倦心飄怦，無主宰，只覺天地欲崩；

38

風雨擊窗欞陡使我冰冷的心緒甇甇，
急急的，急急的披幔探迎，却無歸影。
　唉唉，已逝的至愛的魂靈，
　我以爲你是回轉來了。

自你去後我曾追跡於山野，海濱，
但你終以我穢汚難留絕情而去；
我衰喪無依，罪魘却如銀駒擻躍欲飛，
入眠，夢死，却又被山岸的海風摧起。

野鬼

唉唉，已逝的至愛的魂靈，
我以爲是你耳語我旁了。

我飄然的獨來獨往於此煙沙塵上，
碧澄的海水洗不淨此體之重重鱗傷；
我曾徜徉，淪落四方終未獲快愉微量，
蒼宇內繁華，幽僻的處所都無我立足地方。
明月夜，秋風中佇立於
冢巒之上淚如川流一樣。

40

我的魂靈，你不曾陰詐，屈服與淫辱，
何爲呀，不安宿故府而飄逝無踪？
零餘之心永不曾微笑，低歌與輕騰，更可嘆
深秋的墳墓消盡了人世的美譽與嬌容。

希冀與懺情猶伴我而行，但
最後却跌於無名的幽谷之中。

如今我哀嘯天風，但無名，飄逝的魂靈，
仍不見從遠山，闊海回此寂寂的墓塋。

野鬼

我無伴侶，無樓閣，只孤宿深洞，
每於銀灰的夜間徘徊於此荒野的溪景。
　我將無希冀，眷戀永永，
　　煙霧的寒光中我的淚兒清清……

幽寂的河濱孤現我荒草覆沒的墓坟，
沒有野花粉飾其頂亦無碑文。
潺潺流水低吟，夜鴦泣鳴於蒼雲，
萬千古人亦曾安眠此處，但已無痕。

這，這幽淒，飄漾的寒光
宛如預弔我坟的命運。

——一九二四年，十二月寫於
四平故里之山麓。——

彷彿孤帆在煙波裏

無數，無數的世人兒都說我已瘋了…………

這正是薄暮，冷風，楓林寒森的山徑，在這里

我試躍荒谷，騰飛青空——一片荒漫的幽情；

迷濛濛的重霧冥濛着山影，

但遠遠處分明是蒼海，青松；

蒼海，青松：

生之活躍，永永，永永…………

無數，無數的世人兒都說我已瘋了…………

寂寥的往日曾經過山海，川原，曠漠的荒境，

風沙中，雪雨中，踽踽的獨自步行，低吟；

聽呀，那鄙夷的老鴉之韻歌，

彷彿是關懷着往夢，來生；

往夢，來生，

這一步，沉重，沉重…………

無數，無數的世人兒都說我已瘋了…………

看，那墓野間的鬼火——生命之最後閃明

看，那一顆閃耀的明星已漸漸的隱失於雲峯；

赤身蓬髮，微笑的歌舞與月明，

聽呀，這周郊漫嘯着潮音，松風；

潮音，松風；

大自然之高歌，低吟…………

無數，無數的世人兒都說我已瘋了…………

這正是寂冷，霜重，幽淒的銀夜正中，此時間
又彷彿孤帆在煙波裏綏綏急急的波動；
生命，情愛，烽火似的燃燒於冷胸，
前邊正是浩渺的蒼海，浪凶，霧重；
浪凶，霧重；
遼遠處的孤燈，倏滅，倏明…………

十四年，四月作。

花卉已無人理

這園籬荒荒的，荒荒的，花卉已無人理，
瓣瓣落花寂寂的散落在暴風雨裏；
恐怖，寂寥的氣息籠罩着漆黑的大地，
這茅屋，這苦心彷彿正在不止的戰慄。

奇麗的園地如今只在恍惚的記憶裏，

憤憤的起徘徊，星月如故，雲兒在飛；
你不誠實的園丁，到底呀，已逃往那里？
這些時已不見你的弱軀，聽不到殘喘氣息。

隱約的在這里有園祖的嘆息，美女在泣，
這破荒的園地裏無人影，只見毒荆漫地；
你不誠實的園丁，到底呀，已逃往那里？
淚涔涔，自痛，自恨，空對你祖遺的園籬！

在此夏夜裏伶仃的，悵悵的徘徊於荒衢，
啊呵，我那寂陋的茅舍已煙火繚繞的燒去；
醒醒罷，古老的建築，你如此的雄奇壯麗，
如若燒去，一切文物都毀滅得不留痕跡！

無處去，無歸宿，尚不知要飄流到那里，
這荒谷，這墓地——曾舉過榮偉的葬儀；
醒醒罷，你白骨，墓已不修，更有誰吊你？
幾日後，你能否曝露在這里，眞不堪測憶！

聽呀，那山風，那狂流，那荒墓間的悲秋，
這山河之戰慄聲襲着苦心，淚兒湧湧流！
你不誠實的園丁，怎不，怎不返轉園籬？
一撮黃土，一勺清水——可看好花麗麗。

聽呀，那花卉在風雨裏不止的颼颼戰慄，
彷彿說，是人間，是地獄，這般風淒雨急！
你不誠實的園丁，怎不，怎不返轉園籬？
如何忍，如何忍這祖園的花卉，棵棵萎去！

花卉已無人理

這園雖荒荒的，荒荒的，花卉已無人理，
那毒草將郎藥殺萬卉，那煙霧瀰漫大地：
我低首，我默泣，如不身墜懸崖自殞呀，
要永永荷鋤犂扶持着花卉於此祇園裏……：

民國十四年七月十四日在北京作。

52

荒石之旁

輾轉人間，淡漠恐怖的羅網密密的無有邊緣，
這生命欲拋却，怎能拋却——從惡夢中醒而復還；
他已不需要人們的溫馨與憫憐，
只是靡靡的獨自的低吟，流連，
已逝的時光摧白了他的柔髮，枯黃了他的面顏…………

荒石之旁

星斗滿天，這漫漫的荒原寂寂的無野語，寒蟬，

那人兒蓬髮，赤足，裸臂，來往的徘徊在湖邊；

他皺着眉對着東方初醒的明月，

沉穩的拔出深刺心頭的利劍，

注視着鮮血點點，又微笑的默然的昂首向蒼天…………

如今這鮮血迸嵌於野岸的荒石；算償了心頭微願，

那口兒喃喃不言，足兒趦趄不前，雙眼似火焰；

這良夜，清波平穩，星雲流散，

54

就依臥此荒石之旁生命的呼吸漸緩，
這宇宙深蘊着死寂的氣息無邊，不挑想，不挑言……

——十四年七月十六深夜於北京。

瘋者

在曉寒的晨星裏蓬首，垢面，裸體的幽囚的瘋漢，
昂首狂笑，身狂躍，口兒狂嘯的逃出亂塋邊的囚院。
在綠茵的草地上振起雙脩環舞，兩眼的紅光狂燃；
忽然迴顧着脫逃的陰森之囚院，金黃的牙兒閃閃；
「呀呀，還我生命，還我自由，
此生呀，永永不再作囚犯！」

那瘋漢驚破了衆夢，憤迅的從人們手中奪枝寶劍，
追捕着逐散的人兒，掘出來一棵棵非僞的心肝，
高懸入雲的樹巔，恬然的睥視彼紫黑的血色點點。

那瘋漢恨恨的闖進古荒的廟院將神祇推下祭壇，
匆匆的燃燒起栢蔭蓊蓊的赭色的廟舍，捲捲青煙
消散靜謐的青空，於是瞥起蔑視的雙眼微笑向周天。

瘋者

那瘋漢深入青林間心中的苦情溶滲於綠葉之歌彈，
沐浴於青湖的瘡痕化爲縷縷灰煙輕騰入青天。
最後，足音沉沉的登拔至奇麗之山巔，環顧周遭，
漫和着松韻與蒼海儘高歌，儘歡舞，山海在戰戰；
「呀呀，還我生命，還我自由，
此生呀，永永不再作囚犯！」

十四年七月二十六北京。

58

晨曦之前

凄迷的走去，凄迷的過來，看——

野岸邊寒林的黃葉飄旋在空中，低落在面前；

我的魂，隨它去罷，任你沉淪沙河底，飄流東海間。

這顆輾轉於罪惡的不自由之心

將即炸裂此渺無蹤影的晨曦前。

夜宿荒山古寺間，這是毒冷，椎心的不自然的留戀，何時呀才能歡浴在那一輪燭天的紅日，你流水與青天？

淒迷的走去，淒迷的過來，看——

野岸邊寒林的黃葉飄旋在空中，低落在面前；

在夜鶯的淒韻中我踟躕墓畔低問枯骨對於生之懷念。

這無人掃吊的白骨間生着一朵惡花

——芳芬，幽麗，桃色的頰面迷誘萬眼。

萬籟死寂的墓野我做着白骨前塵的幻夢，瘋迷哀戰，

苦思的淚泪悄流於青衫，何處呀我的好夢，我的心願？

淒迷的走去，淒迷的過來，看——
野岸邊寒林的黃葉飄旋在空中，低落在面前；
有一日罷，火燒了古蹟，毒斃了人類，遺痕散落天邊。
你的陰謀，我的虛僞當如夏日的彩雲
織着剎那的幻夢，慢慢的自滅自散。
有一日罷，往日慘刻的惡夢會浮泛鬚眉斑白時的面顏，
回首呀，那罪惡長蛇的血口正是青年靈魂漬染的遺念！

淒迷的走去，淒迷的過來，看——
野岸邊寒林的黃葉飄旋在空中，低落在面前；
無歆無戀的空虛之心只是一座冷落的陳死的火山。
歡快與愴心，榮譽與恥辱已如垂危
的病人呼吸緩緩的靜眠於晨曦前。
這生命像冰冷的僵屍在陰冷的黑谷任慘暴風雪的催毀。
何時呀，才能歡浴在那一輪燭天的紅日，你流水與青天？

十四年九月二十二日北京。

影

看，那秋葉在明媚的星月下正飄零，
與你邂逅相逢於此殘秋荒岸之夜中，
星月分外明，忽聚忽散的雲影百媚生。

看，那秋葉在明媚的星月下正飄零，
我淪落海底之苦心在此寂寂的夜塋

影

將隨你久別的微笑從此歡快而光明。

蒼空孤雁的生命深葬於孤泣之荒塚，
美麗的薔薇開而後謝，殘凋而復生，
告訴我，好人，什麼才像是人的生命？

這依戀的故地將從荒冬回復青春，
海水與雲影自原始以來即依依伴從，
告訴我，好人，什麼才像是人的生命？

64

夜已深，霜霧透濕了我的外衣，你的青裙，
緊緊的相依，緊緊的相握，沉默，寧靜，
仰首看孤月寂明，低頭看蒼波瓦擁。

夜已深，霜霧透濕了我的外衣，你的青裙，
寂迷中古寺的晚鐘驚醒了不滅的愛情，
山海寂寂，你的影，我的影模糊不分明……

十四年十月。

公主墓畔

夕陽殘照的楓林間徘徊着我淪落的黑衣人，
零落的秋葉在足邊做起生之最後的殘吟，
淒迷的過來，淒迷的走去沒留下些微遺痕；
我的短笛冥合着遠遠古寺暮鐘淒散的寒韻，
我的公主，醒一醒罷，在此四野寂寂的黃昏，
有人於落葉遍地的荒塚旁來接收你的芳魂。

你榮貴的雙親哀痛你的悲運在此幽寂的河濱
爲你修了一座奇偉的墓坟深葬着你的青春；
他們已早早的故去，後裔亦不在玉座降臨，
這殘墓無人修輯，舊飾的珍品將被人盜盡；
我手扶殘墓，兩眼凝視着洞穴幽暗的內蘊，
兩耳靜聽裏邊有無微妙哀惋的處女的歌魂。

我的公主，你曾否想爲世上最歡快幸福的人，
在身邊有一個美麗而有才學永永見愛的郎君，

結伴你去聽海濤的情歌，去遊萬山的美景？
我的公主，你與此紅塵早早無戀的別去，
是否恐怕破辱了你的天體決然的脫此凡生，
高高的，高高的自由的翱翔於無垠的碧空？

你那一雙使千萬人垂淚的玫唇想已酸化無痕，
這荒墳在霜雪風雨的日後恐亦難保其殘運；
在此嚴肅靜穆永永不變冷容的天宇裡，你是
微笑是哀哭於彼夜午時節的松風寒濤的偉謳？

世人紀念你的只此枯骨殘留的墓坟，遺忘了
你永生的芳魂宛如高懸蒼穹孤芳自賞的月明。

你聽呀，那催眠的暮鐘將人們送入不醒的幽夢，
聲名，光耀與恩愛都已深深葬埋於夜的墓塋；
你聽呀，那遠遠處生命凱歌也似的雄渾的瀑聲，
將生之呼吸於此長夜滾滾的深注於荒渺的海中；
你聽呀，那男女遊人幽凄的，眷戀的歌詠，
在他們寒慄的淒音中深蘊着青春歌喉的顫動。

主公墓畔

如今顆顆寒星沒泛於蒼空，古塋間的燐光熒熒，
烏鴉已不在林梢飛鳴，遊人業已流散無蹤，
這渾渾寂寂的大野只是我獨自徘徊的空庭。
這宇宙是一篇無聲的音樂四溢着荒漫的幽情，
我悄悄的站立着恐怕驚醒我深眠落葉的魂靈，
無思維，無苦情，只仰首遼望林梢孤寂的月明。
我爲你燒去的紙絮正飄飄於寒風中的殘松，
這不能復明的殘灰促苦淚滴落於生命的空瓶；

70

我將枯骨旁無名英雄的寶劍投落於蒼波之中，
我又輕輕的將此落葉付諸一去不返的長流；
來無蹤，去無影，我將隨千萬游客蹈入深谷無名，
我的公主，請聽着我這永別時寄情的夜半松風……

——十四年十一月二十二日北京。——

冬夜

這是一個漫寒的冬夜，

我彷彿孤棲無人蹤跡荒島間，

在恐怖，在惋嘆，心兒隨着將及息滅的爐火微顫。

是眞實，是夢幻，閃閃飛耀的金星消逝在眉邊？

這生命宛如凶濤間的孤帆，進冲，退轉，只命運有權。

如今呀，無苦笑，無頌讚，無眷戀在此

漫寒的冬夜的夢間……….
驀然自驚心的惡夢返還——
是一隻長蛇追逐我於荒草的叢林邊，
在死情飛閃的夢幻中案頭的花瓣飄落於寂寞的身邊。
此時間只有我在默然，在苦憶於此寂寂的夜的深淵，
這來去無痕的不自由之靈魂已殘凋於沉默冷厲的人間。
如今呀，我徘徊，我低吟，我遙望，在此
漫寒的冬夜的長岸……….

——十四年十一月三十日——

紅酒曲

紅酒，紅酒，我的生命，
你的香豔宛如女人的玫唇；
一杯，兩杯，滿瓶已盡，
現在才知你之可貴與鮮新。

飲能，飲能，我的好人，

有誰能享受自己眞的歡運；
　吻能，吻能，時已飛逝，
現在才知生命之來路無痕。
　紅酒，紅酒，我的生命，
在此宇宙你以外我無知心；
　一杯，兩杯，滿瓶已盡，
現在才知你將消散如流雲。

晚禱

寂滅罷，寂滅罷，我的魂！
這風霜的苦運中鐫着不磨的傷痕，
無功，無名，無愛，空空的作了一世人，
寂滅罷，寂滅罷，我的魂！
寂滅罷，寂滅罷，我的魂！

在此蒼灰月下澄清的海心，這海心
深蘊着生命中未有的明珠與偉錨，
　寂滅罷，寂滅罷，我的魂！

　寂滅罷，寂滅罷，我的魂！
不，不要夢想着如浩渺蒼波的渾脊，
她有着萬古長存永永不滅的時辰，
　寂滅罷，寂滅罷，我的魂！

寂滅罷，寂滅罷，我的魂！
不，不要夢想着如碧空流雲的馳騁，
她有着長征的生力與永續的命運，
寂滅罷，寂滅罷，我的魂！

寂滅罷，寂滅罷，我的魂！
燦燦的星光已殞，青青海上的風神
想將此無涯的苦痛在此長夜埋殯，
寂滅罷，寂滅罷，我的魂！

寂滅罷，寂滅罷，我的魂！
這風霜的苦運中鐫着不磨的傷痕，
無功，無名，無愛，空空的作了一世人，
寂滅罷，寂滅罷，我的魂！

十五年二月北京。

不要閃開你明媚的雙眼

陰雲漫佈的午後你披散着黑髮呻吟於血泊的府院，
我的姑娘，你忠勇的生命完結於毒彈，呼吸漸漸低緩：
靜靜的睡去罷，不要，不要在此陰暗的黃昏
再向，再向你心愛的中華閃開明媚的雙眼。
你美麗的青春雖已是斷絃的箜篌，曾經淒惋的撥彈，但
在此亘古未有的悲劇中訕笑的羣衆並不會落淚，懷念，

——人們並不會落淚，懷念！

血色閃耀的散髮是這世界不會有的一朵奇麗的紅花，
我的姑娘，這最後的花朵是不是在綴飾你夢境的天下？
　靜靜的睡去罷，不要，不要在此陰暗的夜晚
　再向，再向你心愛的中華閃開明媚的雙眼；
美麗的希望已如夏日的彩雲深葬於毒烈鐵心的秋天，
在此深夜人們已平安入夢光耀的中華只在險惡的夢幻，

——只在險惡的夢幻！

不要閃開你明媚的雙眼

夜半時淒厲的風雪陡來，我彷彿淪迷在荒林，在汪洋，
我的姑娘，這苦淚從我懷中的尸身滾落於逝去的希望；
靜靜的睡去罷，不要，不要在此險惡的夜半
再向，再向你心愛的中華閃開明媚的雙眼。
我們將深囚鐵闌的獄中不能自由呼吸，不敢暢然淚流，
在此古野的祖塋將被毒蛇，虎狼踏毀，還有誰爲你收殮？
——還有誰爲你收殮！
有一日罷，這生命會被無名的毒藥毀滅於破敗的古院，

82

我的姑娘，我還羞怯的靈魂終會在灰色的悲哀之中埋掩；
　靜靜的睡去罷，不要，不要在險惡的長崚
　再向，再向你心愛的中華閃開明媚的雙眼。
如今我將被逼離開故居淚涔涔的走近厄難的坟間，
在此亘古未有的悲劇中訕笑的羣衆並不會落淚，懷念，
　　——人們並不會落淚，懷念！

十四年三月十九日，即國務院大慘殺之次日。

歌者

來，來，來，我的人，讓我們痛飲此湖邊，
來，來，來，我的人，讓我們深吻此湖邊。
我們的所愛在此鬼刧的凶年業已無辜而歸天，
這殘喘於命運的生命亦將如朝露無痕的流散。
渴望着的眞理，光耀都正飄渺於九霄的雲間，
我這輾轉塵埃的病身今已中射無數的火箭。

如今我被逼逃命僅僅帶了詩一卷，殘稿一篇，
這，這是往日瘡傷的遺念，將來大流血的預言。
來，來，來，我的人，讓我們痛飲此湖邊，
來，來，來，我的人，讓我們深吻此湖邊。
看那晚霞影映着的湖色像是先烈的鮮血在濺，
聽那晚霧裏搖船的歌女像在安慰死者的永眠。

有一日我們會從惡夢驚醒於無罪而死的白骨邊，
爲了人類的自由在險惡之夜將熱血迸射於敵面。
此寂寂夜晚的皎月就是將來永飾墓頭的花圈，
這來自四方的遊人與歌者將在墓邊落淚，留戀。

來，來，來，我的人，讓我們痛飲此湖邊，
來，來，來，我的人，讓我們深吻此湖邊。

十五年三月三十一夜於北海

死

我已失去了感覺在此黑夜荆棘的途間，
花芬沒有香，星月沒有光，情愛亦不能戀。
白天在恐怖的人間無蹤跡的奔波往還，
人說我還不如園籬邊黃花的自開自殘。
　現在，鳥入巢宿，人已入夢，
唯有我無處投落，倘在酩酊。

慘黑的途中無路燈，我的生命亦無光明，
荒坟的枯骨在譏笑我不如牠燐光閃熒。
在此不知名的野站我已疲倦，心如古井，
瑪麗呀，將我的詩文焚毀了罷，勿留痕蹤。
　現在，身邊無天藍的花圈
表示毀滅一個怯弱的生命。

十五年四月四日夜

夜遊

夕陽呀，你回首，回首看此黃昏時候沒有牧者晚歸，
沒有希望與安慰，摧戰慄，恐怖瀰漫在你血色之餘輝。
我雖有熱切的心，受傷的手，却挽不住你向深山沉墜，
平時美耀的顏色已逝去，只餘此奇異天宇中的慘黑。
　月兒未升，只有稀疏的星綴飾在蒼穹，
沒有歌聲，絃音，這古都像死屍般寂靜。

夜遊

夕陽呀，你回首，回首看東方月光殘照的冷清街衢，
沒有少年男女挽行，歌者行乞，守衛人只在街心寂寂。
我麻醉於苦酒之魂在恐怖輾轉，尚未掉絕望的眼淚，
人類雖則昏醉入夢，却似深沉於無底之地獄的積水。
　烏鴉已歸林，雖不震驚於遠遠的槍聲，
但，誰敢說今夜不毀滅了一切的生命？

夜遊

萬物都隨時代變改惟有明月與羣星
在平安，險惡之夜均穩照我散髮蓬蓬。
今夜晚只我零仃的摸索於街途，心怦怦，雙眼欲淚，
煩倦饑渴中家家酒店都已被逼掩門，又失去了飲杯。
看，糢糊的燈影中不知誰設下陷阱，想將我陷於其內，
明月呀，你知否，我，我的希冀已在此現實與記憶滅毀。

夜遊

我不敢高唱煩苦的衷音從受傷之靈，
　神明賦我生命之酒杯只在强者手中。
此時我能在街市漫遊卽屬萬幸，不敢懷別樣的心，
聰明人，不要恥笑我罷，這時代我們都有着怯弱的魂。
如今我失去了溫馨的天眞，只餘此殘陋哀慄的詩韻，
明月呀，看我這無處投落的人在街市是何，是何命運……

十五年四月二十三夜北京

（紀念一個實況）

92

古廟之夜

在煩倦旅途星斗滿天的夜深我借宿古廟，
孤影倒映頹垣，慢踱寂寂的院心面浮苦笑。
我本是偶然的過路，偶然借宿，
在此破敗色殘的遺跡倍覺淒迷。

古廟之夜

廟中空無神祇，暗蒼天色的冷月尙在殘照，
生死之痕業已糢糊像淡淡灰煙輕漫天梢。
呵，我孤冷的影，你飄零的骸餘，
這破敗的古院骷髏似的靜寂。

我徘徊於無字的碑間，這地域已亂草蓬蓬，
莫有着落的魂靈震慄於西邊教堂之暮鐘。
這蒼青的苦茵藏着一顆苦心，
凄憶的哀思是，是不死的一瞬。

94

夜風吹檐鈴，荒渺渺的聲韻，驚醒我於幻夢，
分明我有我的家，怎淪落於此寂滅的死城？
　雖則我有前程，現在還是路人，
呵，那顆寒星在此廟後已寂殞！

十五年五月二十三夜古汴

征途

寂寂死夜的征途苦思不成，生飲櫻紅之冷酒，
昨宵尚借宿古廟，如今又作荒野苦雨的浮囚。
野站的客旅已負着希望入夢，只我獨自飲酒，
神呀，我疲啞無力歌唱，像是一架斷絃的箜篌。

生命如煙霧中空漠漠的古井，已無情思涓流，
神呀，我的夢與愛已如雲潭中殘月似的消瘦。

苦寂的往日消逝在，埋掩在冬風的利刃，離愁，
神呀，你聖潔，沉毅的靈水何時滲流我的心溝？

慘黑的無花朵之荊路正有着我的踪跡，以後，
神呀，這漫浮凄愁面紗的時間將，將怎樣消受？

征途

誰知前邊是陰坑還是坦途，走去，走去，走去罷，
回顧青山，慘別的苦淚對此飄零之冷酒狂流。

十五年五月二十七日京漢道中

98

星宿下

星宿下的園籬間徘徊着兩個飄零的影，
月前同看牡丹笑迎東風，而今滿地落英；
我哀惋長吁非爲病愁，飲罷，飲罷，這俄傾，
荷池畔語絮夜重誰想到夜半孤幃夢冷。

你知我南歸只因九女山麓之花欠鮮明，
夢入燕地之海濱見你臉色比月還孤冷；
今夜晚人悄悄，月依依，似夢非夢露已重，
眠池鷗鷺之妙韻一聲激起蒼波萬里情。

十五年六月三日夜北河沿

夜泛

匆匆，匆匆，來此晚海漩𧀮，

蒼茫的落日中紀念二千年前深沉汨羅的悲哀之詩骸。

死靜的海水柹紅一片，蒼青一片，荒漠無語的悲哀，

灰雲下我默然無語痴視遠山漫泊小艇於亭台。

蒼茫的落日中紀念二千年前深沉泊羅的悲哀之詩骸，

匆匆，匆匆，來此晚海漩𧀮。

夜泛

蒼茫，蒼茫，今夜晚的世界，
冥漠的月光下悄悄搖舟到此蒼波浪浪的海心來。
荷香的晚風吹醒了長眠的悲哀之花蕾慢慢展開，
生命海中開着不死的哀花無論在往古或在現代。
冥漠的月光下悄悄搖舟到此蒼波浪浪的海心來，
蒼茫，蒼茫，今夜晚的世界。

102

迷戰，迷戰；在此塵埃之外，
風波罷，星光罷，創傷的孤魂正有着苦苦尋思的現在。
生命之韻律不在罪穢之古都，已隨落日淪沉於江澤，
古來殞命悲劇的人何曾追悔過埋沒於茫茫的魅惑。
風波罷，星光罷，創傷的孤魂正有着苦苦尋思的現在，
迷戰，迷戰，在此塵埃之外。

夜泛

寂滅，寂滅，煙霧濛濛未開，
夢境的情愛從枯萎的薔薇寂落於汨羅之濱的蒼台。
晦冥的天色像一首不朽的哀詩深印於人心與碧埃，
這宇宙是偉大，不滅與悲哀因有着永永不死的詩骸。
夢境的情愛從枯萎的薔薇寂落於汨羅之濱的蒼苔，
寂滅，寂滅，煙霧濛濛未開。

十五年端節之夜北海

104

長流

蒼空的流雲寂寂的慢慢的從我頭頂飛來飛去，
這迢迢異地已是榴花時節還沒有靈鳥的聲息。
故園親人的墓頭想已，想已青草蓬蓬有如雲衣，
今夜荒漠冷明的古寺前只有我在聽長流禪語。

萬籟死寂之夜不堪想已淪落死城無痕的希冀，

長流

這一泓死水像是我的靈魂在星宿下幷無尋覓。
如今我猶如來自其他星球的客旅陣陣的驚巽，
悵望，在此煩倦的自歌自廳的奔途裏霜花滿衣。

這枯萎的薔薇正如已消失的光輝綺夢的遺跡，
夢呀，任你入天堂，地獄，心懷的明珠已沉落海底。
就在此寒光下的荒墟深殯此善感靈魂之骸餘，
現在，我像春日碧茵草上一隻傷鳥捲起了兩翼。

106

看這絕望的世界蒼茫茫無燈火晦冥冥無晨曦，
毁滅的途中已修了坟墓靜待命運呼歸的靈息。
這天宇沒有光，沒有歌，只是一團墨蹟漫綴苦意，
生存與毁滅在此遼遼天際無人注意亦無痕跡。

蒼空的流雲寂寂的慢慢的從我頭頂飛來飛去，
這迢迢異地已是榴花時節還沒有靈鳥的聲息。
故園親人的墓頭想已，想已青草蓬蓬有如雲衣，
今夜荒漠冷明的古寺前只有我在聽長流禪語。

十五年夏北京

未終之曲

歌罷，我的人，這銀波浪浪的海上漫着醉人的情韶，
漫遊蒼空之流雲無歸宿像是我這天涯淪落的人。
吻罷，我的人，這寂寂的海世只有兩個依依的悲魂，
今朝馥馥的蓮香已殘消，飛瓣飄落於，飄落於海心。
歌罷，我的人，你悽慄慄之哀韶深葬着不醒的青春，
你，你看那穹蒼中火箭似的流星，一隻創傷的孤魂。

歌罷，我的人，夜頌的歌曲正潛着靈魂深處的淚痕，
漫漫長途的時辰已長殞於荒墟，彼地裏無人逡巡。
吻罷，我的人，將你深心的熱血迸射於我冷冷寒唇，
生命，生命正如懷春的雙星遠隔着天河苦淚涔涔。
歌罷，我的人，這，這正是神魂交迸的銀露似的時辰，
你，你看那殘月深墜西山時卽是我們最後的一瞬。

十五年七月十日

祭詩

詩骸，詩骸，如今我將爲你備具薄薄的棺材，
在荒荒山麓的楓林邃深殯於霜葉紛披的墓下，
永永的睡去罷，那裏有溪流低吟，寂寂漫散之落花。
詩骸，詩骸，靜靜的睡去罷，不要在此渺冥的夜晚追悔，
那一去不返的時辰正流着怯弱，罪惡與創傷之苦淚。

詩骸，詩骸，靜靜的睡去罷，不要在此霜雪的夜深思歸，
如今我正搖舟於險惡深谷之誹水，從無人安渡其內。

詩骸，詩骸，靜靜的睡去罷，勿怪我未備華麗的葬衣，
掩不住你深毒的傷痕，你當知如今我還在顛波之命運。
詩骸，詩骸，靜靜之睡去罷，勿怪我將你寂寂的殯去，
未設下榮偉之祭宴，你當知現在我還無知心的人。

詩骸，詩骸，靜靜的睡去罷，可憐我這在人羣戰慄之心，

未使你留下光耀的遺痕卽已長殞於此荒夜寂寂。
詩骸，詩骸，靜靜的睡去罷，以後這孤冷寥落之光陰，
要痛痛的飲，高高的吟，在朝曦時分，在日落平西。

詩骸，詩骸，靜靜的睡去能，我手扶屍身在此最後的時辰，
淚不成流，聲不成韻，我的往日呀，已消逝於慘寂之苦運！
詩骸，詩骸，靜靜的睡去罷，酸淚滴落於無踪的青春，
更無希冀的日後在此慘戰之人輩不知將如何容忍。

詩骸，詩骸，深夜裏我爲你備具薄薄的棺材，

在荒荒山麓的楓林邊深殯於霜葉紛披的墓下，

永永的睡去罷，那裏有溪流低吟，寂寂漫散之落花……

十五年七月編完晨曦之前

時於北京旅寓

卷末

我不曾向人輕意的微笑疏忽的發言，
這宇宙呀只是一個冷厲驕矜的面顏；
空空漠漠的消逝了一去不返的芳年，
不曾不曾折下來一朵黃花留作紀念。

一九二六年十月初版
一九二八年三月再版

實價四角

著作者 于賡虞

發行者 北新書局

發行者 上海 五馬路棋盤街口
新閘路仁濟里

骷髏上的薔薇

于賡虞 著

古城書社（北京）一九二七年初版。原書三十二開。

骷髏上的薔薇

于賡虞著

So I turned to the garden of love

That so many sweet flowers bore;

And I saw it was filled with grave .

——William Blake.

骷髏上的薔薇目次

4

骷髏上的薔薇

來，來，來，慘敗的英雄，來水湄，山瀧，
歌着，飲着，呵，裝飾此慘變之幻境。

似病女未醒，蒼苔上殘殘的落英，
寂寞的海濱歌聲逝了，只餘夜風。

星冷明，顫慄之幽光冥照着孤影，
一切去了，從黑獄中萎滅了愴情，

從時之翼下又毀滅了心之歌聲，
嗟呼，愚夫，忽想慘病天使的運命！

往日沉於蒼色情愛的苦杯之中，
似落日淪於幽谷，彩雲消於夜風。

往日復追求榮冠於寒灰之殘冬，
似荒塲上恐佈之迷羊，霜霧濛濛。

今，孤自徘徊於殘敗春風的花塚，
向長天慘笑，悔種此萬世之愴痛！

2

今，
輾轉於終爲悲劇的希冀之夢，
似骷髏上的薔薇在裝飾着死情，

將桂冠投於荒塚，聽暮鐘之凄鳴，
渺渺悲韻遠了，殘留下記憶之影。

將寶劍投於荒海，雙手痛擊蒼空，
無限的慘黑的空虛劃落了幻夢！

從絕望之懸崖跌死殘醜之神靈，
願愁願恨隨骷髏沉睡萬載不醒。

去矣，在黑紗的天宇下踽踽獨行，
萬生正睡於像死城般古黑之井。

把哀淚灑於草茵上飄零的孤影，
寂寞的海濱歌聲逝了，只餘夜風。

來，來，來，慘敗的英雄，來水淵，山瀧，
歌着，飲着，呵，裝飾此慘變之幻境！

4

夜思

天未明，我從失望的惡夢驀然驚醒，
秋葉飄落之聲韻統治着萬有中之愴情。
月濛濛，星熒熒，孤鴻徘徊於死夜的蒼空，
心怦怦，悵然滴淚於此未完之旅程。

淒憶之歌在無聲的喉端微微律動，
昨日案頭之香花今已低首，飛落了殘紅。
這奇闊的天海冷靜，凝結着無邊之瘡痛，
看，那一顆流星命運下殞落之英雄。

醒醒罷，願望，從此冥漠漠的夜中，聽，
聽這失望，苦厄，忍耐的慘慘在吟之秋蟲。
生命的長途永眠着恐怖，懷疑之念不醒，
將及破曉的晨光深蘊着失意無名。

天未明，我從失望的惡夢驀然驚醒，
僅有之歡情已從撤旦的面前逃遁無踪。
這無限的時間，無限的生命在慘變，流動，
心惻惻，這無着落的荒夜一片愴情！

6

飄泊之春天

嗟嗟，念餘載飄泊之春天隨寂寞、而復來，
只我在野岸長吁，彿徊，將憂心抛於煙海。
倦了，在此黑魆魆之中途夢之蓓蕾未開，
慘毀於苦酒之生命永飾着蒼灰的悲哀。

噫，溪流邊無人掃弔之墓只我個人徘徊，
這寂寂之草下長眠着無語的青春，情愛。
我慘笑了，將桂冠投於萬丈幽黯之荒崕，
休休，何須楊花裝飾我飄泊靈魂之墓台！

7

希望之葬埋

惡夢重重的長夜無語的去了，
我霜花滿衣的佇立於黃草顫動的荒塚，
荒塚上我將死的希望寂寂深深的葬埋。
殘吟於冷風的落葉像被棄少婦之幽怨，
美情之已往只懸蒼冷的天邊。

惡夢重重的長夜無語的去了，
冷濛的月下默坐於無人踪跡的蒼松下，
蒼松下冥思着已死之希望滴淚於落花。

8

如今在此荒冷之墓一陣傷心，一陣迴憶，
　未知水煙中的殘月已落山西。
　惡夢重重的長夜無語的去了，
消逝了這最終的長夜只，只徘徊於墓旁，
在墓旁我冷飲苦酒看萬里秋色正蒼茫。
愴然的寂然的看空灰的天上孤雁南飛，
　那無痕的征途只有流雲無語。

只我歌頌地獄

夜深了，只我在古城之角裏歌頌地獄，
獨啜美酒，低吟詩篇，孤聽凄瀝的夜雨。
此時慘黑的天宇漫飾着恐怖的靜寂，
似有鬼蛇聯舞窗外，蛟龍哀泣於天際。
微笑的將想像毀滅，天堂失去了意義，
生命神秘的節律似歌女飄動的舞衣。

10

宇宙之一切權利，榮譽，情愛均已拋棄，
怯弱之心空虛了，只酒與詩陪我暗泣！

如今，我這慘寂的地獄已開遍了，薔薇，
無夜鶯，杜鵑之音，亦無客人來叩柴扉。

在我的世界我亦足，散髮在徘徊，長吁，
無人知我的天堂即人間悲慘之地獄！

噫，生命之長流枯了，緋麗之花已殘凄，
似不解之春夢將微笑，痛哭付與哀憶！

在此地獄佈滿了人間打不破的空虛，
殘病的希望顫慄於功名情愛之廢墟！
從此我不崇拜神祇，默泣於命運之足，
寂寞的度日無聞於街頭之蛇蠍，糞蛆！
夜深了，只我在古城之角裏歌頌地獄，
獨啜美酒，低吟詩篇，孤聽淒瀝的夜雨。

12

長逝

從黑暗夢到陽光，從陽光走入夜、之幽谷，
似一沙野之駱駝我受盡了慘寂的悲苦；
在此無微笑與弦歌的人間惟我在夜哭！

孤自張起灰色之天幕寂飲迴憶之毒藥，
情愛已似春花瓣瓣零落於綠茵的山坳；
今痛哭於愛神的足邊凄凄寒光正閃爍！

誰知在殘秋我曾飲少女唇邊荷色之酒，

而今，而今春來了反變爲黑獄內的孤囚；
青春的歡歌與擁抱已成了想像之宇宙！

從此任時間之長髮掩蔽了你美的面顏，
自你足邊走過似山腰疾馳的一縷清煙；
今，我伏於草茵痛飲願永世無機再相見！

任風雨交作，將月夜花籬間之遺痕埋殯，
與驕傲的人世永訣了，隱跡於幽澗之濱；
伴落花於星月之夜任時間無語的飛迸；

詩與酒與劍已爲我的生命想像的粧飾，

14

在山頭孤吟夢影之歌於月光淒照之時；
噫，不需你唇邊之毒藥我已寂寞的長逝！

歸來

揭不開的山麓上蒼灰的雲谷，
　掩蔽了萬里相思之淚眼，
歸來了，我在命運的舟車痛哭，
　遺留下無數寃魂於山澗！

人類的恥辱，荒塲殘遺之白骨，
　青春，功名殘敗於荒山間；
歸來了，悵惘之淚漫洒於黃土，
　枯草掩埋了卑微之心願！

16

山谷蒼黑了，飾起風雪之天幕，
世紀慘死於撒旦之毒劍；
歸來了，薔薇之夢隨落日沈沒，
回首滿谷悽風聲漫寒山！

荒村毀滅了：無人烟，古寺，坟墓，
有誰祭弔在明年的春天？
歸來了，我在命運的舟車痛哭，
遺留下無數寃魂於山澗！

（戰後自南口歸來）

荒山孤立

沉默的孤獨的立此，立此絕望之山蛙，
淚泊點點滴落此空闊無人知的世界。
心府中的哀思騰飛於流雲間的灰月，
在地上沒有知心傾訴我最後的永訣。

往日，往日已如足下之枯草霜透心核，
看那金宮的廢墟已成墓地，無人往來。
說，說什麼恩愛榮譽，盡是空虛的幻滅，
山蛙下長夜的蒼流只是無歸的淚液。

18

沉默的孤獨的立此，立此絕望之山崕，
淚泊點點滴落此空闊無人知的世界，
從此不必再震慄，廻憶，願望，業已滅絕，
只此一絲生命之餘韻尚飄渺於蒼夜。

毀滅

毀滅！如今我從山路酩酊的走向你的高峯，
這宇宙是冷落，空虛之坟墓，好花業已凋零。
走遍了山海，古城，終是慘敗於冬風的英雄，
蒼海桑田，故宮廢墟，只是一幕慘變的幻境。
我的追尋渺然無踪，面前只有愴黑在律動，
毀滅！如今我從山路酩酊的走向你的高峯。

毀滅，如今我從山路酩酊的走向你的高峯，
這山頭冥濛的重霧中消失了月光與路燈。

20

荒途中我冒霧進行，不論有無毒蛇或陷阱，
髮飄，淚流，我踏着人類的墓塋摸索向死城。
巖下的急流，不羈的雄風，像情愛、孤吟荒塚，
毀滅！如今我從山路酩酊的走向你的高峯。

毀滅！如今我從山路酩酊的走向你的高峯，
玫瑰之夢像是足下的山石業已殘缺無晶。
從我苦水的心海毒斃了不能復活的神明，
將投向人間的心情收回，復拋於深海之中。
眼前瑤草業已蒼黃。美麗之花消失了殘紅，
毀滅！如今我從山路酩酊的走向你的高峯。

毀滅！如今我從山路酩酊的去向你的高峯，
現在，拿起孤弦之琴，彈出渺忽的已往，來生。
風凄鳴，葉飄零，悄然將此破琴深投於山瀧，
在此孤寂寂的幽境，我緩緩獨行，自歌自應。
這靈魂之地獄的身軀疲倦了，在夜半之中，
毀滅！如今我從山路酩酊的走向你的高峯。

流浪之歲暮

無翼的悲哀又已被我深葬於此流浪之歲暮，
吁，去罷，山頭徘徊之殘陽去罷，去安眠於幽谷。
從夜之幻翼下發見了我慘死的願望之白骨，
我僅有之殘笑裏傲慢之苦冬正如天使歌舞。

天，我因上帝之忌妒毀滅了自己安樂的家園，
臘梅殘消了，美麗，芳芬逝於歲月徘徊的深淵。
在人們歡歌的聲中我遠去了，拿着一具弓弦，
縱然射不死未來之歲月，吾亦當去人世遙遠。

你說罷，足下的薔薇，何時與我作最後之永訣，
無歌語，無微笑，狠藉之悲哀像是路隅的殘雪。
我無力破滅生命之地獄亦無力與白雪隔絕，
那一度征服墓頭的小草是惟一可思的優越。

夜深了，無味的時間之界限將與老年而俱來，
看我痛飲任此無人收埋之殘骸暴露於蒼苔。
何須有明春的花開。那正是願望殘落的悲哀。
噫，已往無聲的去了，只餘着愴黑空虛之情懷！

24

苦水

夜冥冥，天寂寂，孤立山坡廻憶時靜聽海韻與松語，
眼前一切在慘變，毀滅，人們猶在惡夢間生飲苦水。
我身披藍衣來此海濱在懺悔，在洗滌作人的深罪，
這正是殘月悽照時分過路人孤影寥落萬籟凄鬱。

感謝我的神這不赦的罪人還有機來看星海如玉，
希望如那病劇垂斃的天女我無神方招仙魂來歸。
萬千生命像一泓無光的死水滙着千古人的哀淚，
宇宙，宇宙終是一座痛苦之坟墓週飾着繽紛花緒。

晚禱

伸給我你的手罷，我的神，
當此灰煙漫漫時的黃昏。
晚穹飄飄的流雲像是酩酊的沉淪的醉人，
正如我的着了灰色喪衣無處殯埋的靈魂。

伸給我你的手罷，我的神，
當此暮鐘寂鳴時的時辰。
一切向愴黑淪沉，光明的女神已沉於厄運，
荒海與棕林之哀韻像出自我殘灰的苦心。

26

伸給我你的手罷，我的神，
當此殘月兒深隱於墨雲。
在此無人的山岸悄悄懺悔着空虛的光陰，
敗滅的心情隨深秋落葉低吟寂寂之心韻。

伸給我你的手罷，我的神，
讓這就是那最後的一瞬。
無垠的長天中花開花謝未留不滅的遺痕，
流水年華不如悲哀之因循，呵，慘慘的如今！

籬邊

籬間牡丹之慘笑諧和於飄泊之旅心，
叽咒上帝的人又默泣於殘謝之花韻；
沉默，沉默於春風逝去了如夢之光陰，
噫，時間證明了同一之命運牡丹，美人！

28

空夢

今夜晚無邊冷靜，寂然將，將一切擲於無底之空夢，
緣此古柳下的死水一泓尋覓着業已凋謝的花影；
世界是這樣的冷，這樣的靜，野岸上沒有別人在行。
　黑影橫空，億萬靈魂沈於毒水之中，
　惟天上，天上還有一顆不滅的明星。

如今已月夜正中，寂然將，將一切擲於無底之空夢，
徘徊於此無歸宿的野站只覺霜霧霏霏，北風無情；
徒然的在想那慘慘無果之戀情，看荒霧騰漫蒼空。

痛飲着罷毒酒中雖無永恆的生命，
唯天上，天上還有一顆不滅的明星。

此時將天色微明，寂然將將一切擲於無底之空夢，
東方殷紅之流雲像是我炸裂的心胸之血花玲瓏；
一世空空的榮華，一世無邊之愴情，遺痕已不分明。
寂無人影，骨將無人收，魂有誰弔憑，
惟天上，天上還有一顆不滅的明星。

30

北海雪夜

夜深了，紛紛的雪霧葬埋了這已死之海浪，
在凍僵的尸體上只有我酒徒在奔放，歌唱。
苦笑了：無能之神在廢墟的囚獄沉默，哀傷，
這蒼茫的海世呵，像是我的孤塚也像天堂。

想，這空寂，頹敗之哀淚有誰知和苦酒一樣，
簇簇的蒼松如死的幽靈懷着古老之願望；
人散了，我猶如一片枯葉在荒崖之下徬徨，
夢幻，希望已如死了的孤雁不在空中翺翔。

那已往狼藉之遺痕，天，我未知消滅於何方，
這無有微笑的靈魂酷似一座粉塑的石像。
呵，拋去了酒罍與寶劍，展開了已死之幻想，
我凄然了：未知這殘軀已在白雪之下深葬！

32

疲憊的旅人

夕陽殘了，荒途上只我疲憊的旅、人，
古寺間暮鐘之聲戰慄了煩渴之心。
這里無酒店與清泉只有一座古井，
病蛙正寂吟其內裝飾着無限幽靜。
向蒼黑的山頭遼望如有慘笑之神，
似一箭傷的孤雁慘戰了淪落之魂。

我將詩與劍在蕭蕭之白楊下作枕，
讓我在夢中殺死你無情之魔與神。
去了，將與化石爲侶，永聽松聲之韻，
即痴愛之薔薇化爲汚泥亦無淚痕。
噫，慘死於萋萋芳草之夢化作枯薪，
寒月暗了，荒途上只我疲憊的旅人。

34

鄉思

墓畔的白楊從冬之地獄中又披飾了新裝，
異地飄泊之苦淚尚無望滴落於九女山旁。
夜夢中我曾踟蹰於殘骸遍野的荒墟之場，
誰知那竟是音訊久絕的戎馬一世之家鄉！

午夜

夜午時分落漠的荷池畔臥着我飄泊的沉醉人，
星湛湛，月寂寂，遼闊的天宇中只我在慘轉苦吟，
　　誰知我這樣厄運，誰知我這樣厄運？
尋覓快慰的遊人業己流散，安棲於愛人之懷中，
寧馨的香閨裏織着美麗的天國的恩愛之好夢，
　　誰知我尋夢不成，誰知我尋夢不成？
我的愛，我的愛像是這蒼蒼黑夜裏殞落的流星，
不知是流落於時之黑海，抑係流落於荒谷之中，

36

她已沒有了光明，她已沒有了光明！
我的夢，我的夢已於中途消逝於恐怖未留香痕，
令宵飲宴星散後獨獨自懷着千載難訴的苦心，
看荷瓣飄落湖心，看荷瓣飄落湖心！

如今我是宇宙間竆有的人，絕大悲哀歸我保存，
我將牠混化於我的生命織成一篇絕美的詩文，
誰說我空做了人，誰說我空做了人？
今夜，今夜萬有幻滅於此古園之中唯有這愴情，
才能與彼永永閃耀的明星永恒的綴飾於蒼穹，
這眞實永不顚傾，這眞實永不顚傾。

葬情

徬徨於黯慘古老之街衢像在奇異之夢境，
死夜裏古林與宿鴉無語亦無有別人在行。
我來自野郊的荒塚在殘草下葬埋了愛情，
那時寒月冷明，風眠林中，天宇亦無邊寂靜。

姑娘，有誰知我決心葬埋此夜夜縈繞之夢，
蒼色之情愛裝飾了已往凋落寒霜之生命；
無忌的追求已變爲毒藥和冷酒飲於心中，
慘斃了：往日似沙灘寒淡月光下死的孤鴻。

38

姑娘，誰想今夜流落古剎前看死落的花影，
殘紅，似往日嘔於山腰之鮮血，呵，暮鐘正鳴！
空空街衢像是地獄，古井，只餘孤哀之北風，
從此後我慘笑了，將情愛投寄流落的孤星。

孤獨的輾轉地獄，走入荒坵是已定的運命，
今夜無夢了，冷靜的途中我個人踽踽獨行，
我來自野郊的荒塚在殘草下葬埋了愛情，
那時寒月冷明，風眠林中，天宇亦無邊寂靜。

春

似不羈之長風我飄過古老之化石，殘冬，
飄過了馥馥之花叢與美女希冀之好夢，
今，靜悄的倦伏於花神之翼下歌泣落英。

霜痕自外衣消去經過了地獄慘絕之境，
因其火燄之塗飾我的長衫如春花玲瓏，
似出自慘獄之囚人我狂笑慘劫之生命！

山雎下命運之汚流枯了，幽吟葬於心塚，

40

空空的夜郊裏幻想之翼如狂暴之秋風，
終慘絕於零落之花兒，哭聲似流泉寂鳴。

噫，你無光的往日沉睡於死神之側勿醒，
失却了自由之美麗，焚毀了愛戀之歡情，
吁，縱痛毆天神之殘骸何補慘悽之往夢！

花枝又醒於殘冬妝點頹敗世紀之光明，
惜哉！我的眼瞎了，不能分辨慘黑與鮮紅，
似桃花之雪無痕的消去：心頭憔悴之影。

而今，宇宙造成溫柔與慘暴諧和之樂聲，

41

似詩人淸夜之微笑，似英雄舞劍於暮鐘，
在生命之沉思與歌舞裏流星殞落靑空。

呵，有誰能在春夜不動哀思於孤心之中：
似不羈之長風我飄過古老之化石，殘冬，
飄過了馥馥之花叢與美女希冀之好夢！

42

北海舟上

一片，一片，一片浪浪的銀波寂寞的滾去，
月無語，山無語，頹敗的神兒幽囚於殘墟。
去了：歌聲，淚滴，慘戰之靈魂在沉默無語，
噫，最傷魂是昨夜木舟上垂首孤聽夜雨；
　撥弄着古琴孤聽夜雨，孤聽夜雨，
　鑄成了今夜之慘憶，長吁！
搖去，搖去，搖去睡蓮深處私與嫩葉偶語，
呵，生之不幸，在世間徘徊，默泣，走入空虛！

年年春風飄舞於海世，歌吟於星海如玉，
待秋葉翻飛，人老了，將淚灑於繽紛花緒；
孤自躊躇於繽紛花緒，繽紛花緒，
鑄成了今夜之慘憶，長吁！

44

慘笑之夢痕

夢碎了，遺下鮮紅與愴黑的最後之慘笑，
晨曦裏散髮覆面醉吟慘刻不再的今宵；
你知道，你知道，姑娘，我老了，
壯麗的希望之寶殿尚遼遼。

在夢裏我以五千年人類之悲哀而歌唱，
以寶劍刺殺了命運，孤宿於山坳之幕帳；
你知道，你知道，姑娘，我徬徨，
對着古老世紀蒼灰的月光。

在夢裏上帝慘射毒熱之銀光使我懺悔，
無數惡魔的天使將我慘殺了，投於山壘；
你知道，你知道，姑娘，我流淚，
　　當生與死之搏鬥無路可歸。

今，黎明的天色使我見黑影中獰笑之神，
夢境內的勇武與怯弱化為骷髏之屍身；
你知道，你知道，姑娘，我哀吟，
　　生與夢聯舞的閃動之光陰

呵，今天，何幸又來野郊之墓畔暢飲紅酒，

醉了，以慘笑與長吁獻你綴飾殘墓之周；
你知道，你知道，姑娘，我淒愁，
去了，未知葉落時誰來墓頭！

歌唱了，以殘留的青春歌出深心之憑弔，
任花開花落如往日之飄泊一切都忘掉；
你知道，你知道，姑娘，我笑了，
虐我之怪類正在掌心歌跳。

我忍痛以淚灑於鮮花粧飾此地獄之園，
有一日會足踏上帝之背悄悄走入死淵；
你知道，你知道，姑娘，我何怨，

任哀思律動於樂人之歌弦。

嗟呼，人類！何不痛飲詩人之酒蘇爾深眠，
聽我之慘笑流蕩於你心間，慘白之面顏；
你知道，你知道，姑娘，我無言，
已攜青春而來自葬於山邊。

去矣：將榮譽，情愛與財富貽於野心之人，
任骷髏上的薔薇粧飾着生與死之偉韻；
你知道，你知道，姑娘，我低吟，
此殘篇消去了悲哀之旅心

48

夢碎了，遺下鮮紅與愴黑的最後之慘笑，
晨曦裏散髮覆面醉吟慘刻不再的今宵；
你知道，你知道，姑娘，我老了，
壯麗的希望之寶殿尚遼遼。

（公主墓畔哀思）

憎

烟與酒的和諧造成了夢境之花園，
黑暗天使負悲哀而來歌舞於籬間；
哭與笑粧飾骷髏之假面，
去矣：
灰色不堪救藥的往年！

在人間似卜居於無光之地獄，莽原，
温柔與慘暴之音乃神與魔之歌弦；
美與醜的和諧綴飾人間，
去矣：
上帝默泣於我的足邊！

50

吁，人類，勿施巧美於爾枯老之面顏，
吾等之戰鬥中止了，宇宙沉默無言；
春風隨落花慘斃於汚潭，
　去矣：將榮譽，情愛葬於荒山！

何需痛哭與慘笑在此煩倦之深淵，
向死神默祝，祈速賜我永眠的心願；
痛哉！任青春歌舞於寶劍，
　去矣：將淚飲下復有何戀戀！

今夜

呵，痛醉的今夜孤臥海邊如一骷髏之石像，
將哀思付於夜風慘笑着愚昧的戀想：
血與淚閃動的往夢在灰月之下翺翔，
無望了，姑娘，永世之地獄代了理想的天堂！

52

天涯哀曲

請來歌,請來飲,我們都是天涯淪落的人,
歲月無痕,繽紛落花下衰老了青春之心!
噫,何惜你這一吻,這一吻難得微醉消魂,
讓我拉着情愛天使之長髮在月下對飲;
在月下對飲,和吟,
天上人間,樂欣欣。

請來歌,請來飲,我們都是天涯淪落的人,
生命流雲,勿迴憶那尸與尸對舞之光陰!

噫，何惜你這一吻，這一吻消去哀愁之音，
讓我拉着情愛天使之長髮在月下對飲；
在月下對飲，和吟，
天上人間。樂欣欣。

54

慘苦

慘黑，慘黑，慘黑之煙霧瀰漫了古城，山睚，
寂寞之海濱無人往來，只我守慘死之骸，
長髮紛披了，朦朦之灰月下痛哭向蒼海！

地獄，天堂，人世，渲染着各樣生命之顏色，
希望之燈影從遠海之風浪飄去復飄來，
冒險的放浪之孤舟去了，神秘之夢未開！

不幸觸了險惡之暗礁將靈光付於烟海，

慘笑之屍飄泊波浪似安眠於美女之懷，
為了片刻自滿的歡快何恨命魔之慘害！

嗟呼，我的英雄，花落了殘紅裝飾着悲哀，
但孤塚上永遠豎起光明之墓碑，這慘害，
這慘害為蒼黑之天宇添了鮮明的美彩！

（紀念幾個英雄）

56

春夜曲

虛幻的明滅的燈影寂閃於湖心之孤舟，
明媚的春夜孤吟落花之曲悶自來消愁；
將這一杯淡酒自祝木舟上命運的浮囚，
另一杯澆於蒼波薄奠蕩漾蒼色之哀愁。

聽，樂聲息了，從山坳之芽亭，蒼岸的林邊，
星月無語，淡淡幽光粧飾着靜穆之夜天。
只我奇異的客人在蒼湖之心孤自搖船，
無數的春之哀思紛射於心間有如火箭。

57

在灰天與蒼山之交界流雲似撒旦獰靜，
恐怖的惡夢如浪波之顫動，顫動於夜影，
灰色之哀思泣吟於綠葉在此幻滅之境，
將疲倦付與夜神自歌自泣淪落之幽情。

奉青春之遺囑我詛咒賜我飄泊之上帝，
噫，生命之顏色殘了，愛者他去，良友爲敵！
這一湖蒼蒼之水在靜秘之星月下不啻
殘病的最有經驗的老人所匯集之淚滴。

我慘然了：從經驗之杯飲了過量之哀戚，

58

滿眼無處灑落之淚自葬於荒僻的幽寂；
飄去了，在大夢中我抑止着慘慘之嘆息，
這慘毒傷害之骸餘滿足了病魔之歡意。

嗟呼，木舟！無望的飄泊鑄成今宵之慘痛，
迴憶因閃爍之星光塗飾着慘白的淡影；
何復再泊舟於岸邊看落花飄飛之殘紅，
何須再見行尸對舞之悲劇於地獄之中！

飲下這杯酒安慰了我長途疲乏之哀思，
快哉！似以淡麗的花圈粧飾上帝之慘死！
飲下這杯酒暫止了我低廻悱惻之歌詞，

削下愛神之長髮置於足下作痛哭之資。

去罷，頹敗的哀思，在此古老灰靡之世紀，
雖在春天並無陽光照耀，愴心似是寒極；
點綴之上品竟是哀戀的艷情無處投寄，
幻想死滅了，眼睛了，慘慘夢影終難忘記！

既爲了自然些微之劫掠孤來人世徘徊，
又何惜此怯弱之魂焚毀於情愛之墓台；
夢境裡的明天不如今晚沉醉於此蒼海，
高天，深海比擬不了我深湛悲哀之情懷。

60

噫，我飄去了，這湖心內未留下任何遺痕，
飄渺之哀歌隨夢幻灰化於夜柳之凄韻；
我慘笑了，從心之懸崕跌死了一切之神，
將此曲貽於少女知世間有不老、之長恨！

長途

噫，隨希望摸索了黑暗之長途，
始哀惋此疲憊生命的破滅；
今只有枯思伴我永世之囚徒，
青春的綺夢已隨落花長別。

往夢，往夢似醉後美女的歌舞，
杯影中繚繞着萬古之長恨；
在死滅之希望裏痛哭於日暮，
復慘笑向長天，呵，萬籟無痕！

62

似復活之尸身披髮長吟而舞，
　置一切於足下徬徨於暮鐘；
將病痛之情愛葬於古老之墓，
　依碑狂笑星光灑遍於荒塚。

噫，隨希望摸索了黑暗之長途，
　始戀戀此疲憊生命的色澤；
萬有似骷髏沈睡於空虛之谷，
　慘情之淚寂寂滴落於蒼苔！

山頭凝思

春去了，希望尙深眠於零落的落花之中，
爲了生命之慾願終日輾轉於骷髏之塚；
今凝思山頭之林下，痛哭於夕陽之殘紅，
將不老的悲哀投寄於蒼空征途的孤鴻。

海鳥去了，三兩遊艇裏謳着幽惋之歌聲，
在夜神統治的天下諧和於葬禮的暮鐘；
此時，我以神與魔鬼之樂獨自歌吟新生，
爲滿足敵人之歡笑我痛飮於此黑夜中！

64

「狂夫，將幻想展開，歌着，鞭打天上之羣星！」
世紀死了，疲憊的靈魂在荒誕之夢未醒；
無人了，野林顫慄之韻為我慘笑於寂靜，
聽鴻鳴，似往日飛逝的夢影哀吟於古井！

悲哉！慘黑之山道上只我個人酩酊，獨行，
挽不回的青春如一屍體正沉默於夜塋；
從此我嗟嘆着去了，無論走入地獄天宮，
將一切貽於人間之廢墟，輾轉骷髏之塚。

薔薇的夢痕何處

黯黯月光殘照此山崖似一古老之屍骸，
微笑隨落花殘了，希望之夢徘徊於蒼苔。
青春因時光之欺虐已流落於頹敗，
今夜，在此墓墟祭弔我長逝的情愛。

從此心之諧和破了，黑的葬衣業已披上，
雲為帳，山為床，願永孤宿於暮色之蒼茫：
作一永世之懦夫慘笑於神魔之掌，
沉於放浪的豪飲以度此悠悠夜長。

66

孤雁與松風諧鳴苑似哀魂痛哭於獄籠，
誰知薔薇的夢痕何處，悽慄之鮮韻朦朧。
似一活屍之體蓬髮，淚流，摸索獨行，
願尋覓萬載不停受此不仁的酷利。

至此古寺我默禱，廻憶，沈思往日之依戀，
夜色如靈前之燭光在此聖地之內淒閃；
噫，生命之天堂裡我已如飛箭在弦，
從此遠去了，在此愛神慘死之夜淵。

寄到天堂

噫，挽不住的時間之長流隨眼淚而飛迸，
薔薇的希望變爲古銅之色顫慄於游萍。

只我狂夫在皓月之下踟躕於荒湖之濱，
蘆葦之音似心谷綿綿哀思和吟於古琴。

我，我的心隨楓葉飄落於深谷，投寄無人，
請爲我唱一曲憤怒之歌罷，司愛的女神！

永遠解不了的古老之恨隨殘春而哀吟，
爲了愛爲了恨，將靈魂囚於墨色之酒暈。

似一醉病之老人在寂寂月夜獨自痛飲，
以殘夢妝飾着去路，以哀淚滴落於草茵。

跋涉此疲乏，黑黯之長途只我個人孤行，
足踏上帝與命運之背慘遭絕大的不幸！

今夜，以號泣與慘笑之音樂投寄於流雲，
姑娘，從此悲哀之節律卜知青春的厄運。

如今以靜寂調諧於我暴爍與溫柔之心，
無須嗟嘆了，英雄，美人，誰會從長眠復醒！
去矣：只我孤飲，獨吟，失去了人間之溫馨，
休，休，休，何需戀戀此地獄中慘寂之夢痕！
有一日孤眠于古廟之草坪與世無音訊，
只將此曲寄到了天堂繡飾於少女之枕。

70

貽於少女

希望似山頭徘徊之夕陽，顏色殘了，
在薔薇的花塚我期待，徬徨於夜郊。
過了萬里疲憊之長途黑野尚遼遼，
攜着病痛之愛在星光下待神診療。

「不幸的懦夫，何不將碧血染於荒草，
蒼色之情愛本如野湖之浮萍水藻！」
我蓬髮痛哭了，哀悽之霧繚繞林梢，
似被命魔慘敗之英雄向蒼海長嘯！

往日如一不解之夢獻生命於女郎，
誰知歌吟，歡舞之場卽撤旦的殿堂；
今如一箭傷之小鹿已不自歌，自唱，
在此月夜痛飲，願沈醉於命運之掌！

從此我不幸的過客將向天涯流蕩，
似一征途之孤鴻在知不之所自葬；
噫，願天下之美女永不來墓頭哀傷，
讓野草下的白骨留下萬載之愁悵！

72

花影灑遍了夢痕

花影灑遍了夢中的倦軀，寒露沾衣，
偶醒來滿懷月光似殉道者的靈雨。
空虛的午夜，只薔薇知我哀意，
聲韻，芳芬消了，漫天星海如玉。

噫，心頭古的希望已變為情愛之墟，
時光天使的手裏從未有愛之金粒。
幸福天堂充滿了失望的長吁，
讓花影伴孤寂永沉於幻夢裏。

長恨曲

似一朦朧的夢境獨自踟躕於黑黯的幽谷，
顫慄的月光殘照於身之箭痕，幽澗之白骨。
將哀思，將慘夢流瀉於飄渺的灰色的輓歌，
無求酷僞之上帝，只滴哀淚於不幸的坎坷。
往日似淡微的夜光無痕的逝於沈默之中，
深眠於荒草的歡樂與辛酸成了空夢之塚。

74

今，坐於古老之化石在月光下冥冥的廻想，
將嘆息付於孤弦之琴與殘玉之古杯交響。

生與死之戰鬥因慘病消失於雲山之蒼茫，
青春被命魔之神孤囚於夢境的古塔之上。

將一切擲於空虛，紛披着落花的悲哀之色，
噫，聽，僅有的葬鐘之韻散於月光下的荒涯。

無需再歌唱，低泣，無人徘徊此荒燕的殘墟，
任時光馳騁於玫瑰之塚化爲此長恨之曲。

修道者的懺悔

暮鐘響了，斜陽灑遍了古老之教堂，
藤蘿上的殘紅宛如修道者的心胸；
寂寞的長禱後將哀淚滴落於孤唱：
「美人無踪呵，我亦變爲頹敗之英雄！」

「暮鐘響了，在空谷的懸崖冥禱上蒼，
月白風清，長思裏，天宇宙似是古井；
人間，地獄，天堂，無處將我的愛深葬，
殘夢的途間漫着破滅不了的寂靜。」

76

「暮鐘響了，孤病天涯尚在暮林流蕩，
願望已長眠於荒草之下萬載不醒；
空追尋，空祈禱，空築了理想的天堂，
今只將最後的不幸之淚獻於愛情。」

暮鐘響了，一座孤墳正寥落於野塘，
殘陽紅遍了山頭，墓上之青草蘢蘢，
一切寂寞了，殘碑刻著教堂的古唱：
「美人無踪呵，我已變爲頽敗的英雄。」

本書著者之著譯書目

骷髏上的薔薇 于賡虞著

民國十六年第一版

每册實價大洋 四角

北京古城書社印行